Gaea

GAEA

—

特殊傳說 特典

晝夜循環 05

護玄——著

《晝夜循環》屬於不同世界番外。

與《特殊傳說》本傳劇情無任何關係，純屬「假如他們在另一個世界」會如何歡樂生活的平行文。

請帶著一顆被洗腦過後什麼都不記得的心服用本文。

09. 人生便當

褚冥漾認識這位同學，是在夜間的小巷子裡面。

啊不，應該說其實是在學校，開學那時候有個腦袋花花的新生大剌剌地走進教室，在班上一堆人倒吸一口氣後又大剌剌地走到最末排的位子，踢開椅子坐上去，然後頭一倒就這樣自我昏睡，很有漫畫上那種典型的不良味。

接著這傢伙連續曠課好幾天，據說家裡發生點事情，後來有人來幫他請假。不過在同學間口耳相傳的版本是：這人家裡背景不簡單，恐怕涉黑，還不是普通角頭那種涉黑，傳聞中好像是縱貫線橫著走一百年之類的黑道大家庭，全家出門都開頂級超跑，有人白目擋路就直接輾過去，沒事還會開兩槍慶祝云云。

當然只要智商正常的人都不會覺得這是事實。

褚冥漾當然也是聽聽就算那種，畢竟開學他就捲入打工一事，人生突然在餐館裡面發生奇妙的支線，讓他這幾天有點小忙亂，等到他發現那同學沒來，已經是好一陣子的事情了。

所以在下班經過小巷口、聽見有人打架聲音好奇一瞥，又看到那顆彩得很離奇的腦袋時，他熊熊沒有意識過來這是他們班那位全家可能都開跑車撞人的黑道同學，反而是發現裡面一對八這種懸殊狀態，讓他顫抖著手按下一一〇，按完才發現那頭有點熟悉。

「幹！你誰！」

打架的那群人發現巷口站著瑟瑟發抖的學生，手上還可疑地拿著手機在撥打電話，馬上就有兩名凶神惡煞衝過來，企圖搶奪手機，順便再把不識相的北七打一頓。

本能反應刺激逃生潛力，褚冥漾還沒想到自己可能會被打斷四肢這事情，求生的慾望就讓他拔起雙腿往外逃，順便朝已經接通的一一〇大喊救命。

跑不出幾步他就被人撲倒，飛出去的手機直接被一腳踩裂，幸好當初買的時候就因爲個人因素買特別耐摔的，現在被踩裂了聲音竟然還是很清晰，一一〇那邊意識到眞的出事情後傳來一連串聲響，於是小混混在發現沒帥氣地踩爛手機後，氣急敗壞地彎腰把手機通話按掉。

褚冥漾抱著頭，本來以爲要捱揍了，不過下秒抬腳要踹他的人直接飛出去——眞的飛，以一種反地心引力的方式飛撞到不遠處的電線桿上，足見那力道有多大，接著另外一人也飛出去，從巷子裡到巷子外都是各種哀哀叫的慘號。

然後他像小雞一樣從地上被拽起來，連同他那可憐的手機一起被丟到旁邊，目瞪口呆地看著彩色腦袋的同學朝地上的人狠踹，還發出凶狠的警告：「再讓我聽到你們動老四，大爺就從你們開始一個個剝皮！埋進沙裡面那種聽過沒有！本大爺直接剝你們的頭、灌水銀，讓你們人肉從皮裡面噴出來！」

說著，彩色少年又往對方身上踹兩腳，接著蹲下來翻來翻去，翻出錢包，陸續從幾個人身上抽出紙鈔。

褚冥漾呆滯地看著對方不知是在搶劫或是在搶劫地搜刮一輪後，那些帶血的紙鈔突然被遞到他面前，臉上還沾著血跡的同班同學咧開嘴：「拿去！這些妖道角賠的手機錢！」

他還沒反應過來賠償費是怎樣，但由遠而近的警笛聲先讓他抖了下，沒想太多就抓著那隻握著鈔票的手往小路逃。

這些打群架的特地挑沒有道路監視器的地方打，後面來的警察們只看見一地哀號的青少年，個個被打得像豬頭一樣，臉上、身上還有大量疑似拖鞋的血印，當下也問不出來誰是加害者誰是受害者，直接叫了救護車來全都拖走了。

反正小孩們這年紀衝動過頭的都要放個血，等血從腦袋流掉一些冷靜後，他們再開始問到底是誰動手群架的。

另一邊拉著人逃離現場的褚冥漾當然不曉得這邊的後續，他就是一個「同學剛剛打死人還搶劫不能見警察」的心態，作賊心虛地跑了好幾條巷子，直到停下來氣喘吁吁時，才驚覺又不是他打群架搶劫殺人，跑屁跑。

「你行啊，大爺都不知道這裡路這麼多。」拎起跑斷的夾腳拖，彩色少年掰開刺到腳掌的小石頭，順手把路上撿的提袋塞給對方。「喏，你剛剛掉的，大爺幫你撿了。」

接回提袋，褚冥漾才想起來這是自己的晚餐，因學校明日有事須提早回家準備，今天沒在餐廳用餐，廚房給他做了很大一袋的餐點包括甜點，他原本還想說回家和老媽一起好好享用，後來差點遭揍時完全忘記這東西，沒想到對方被拉著跑的瞬間還記得隨手拎走。

不過很快地他的視線就被彩色少年有點血淋淋的腳給驚嚇到，可能是踹人時有沾到對方的血，可能是跑路時夾腳拖壞掉被刺傷的血，反正看起來滿驚人的。「你你你你你……你會破傷風死掉！」

「……嗄？」彩色少年露出奇異的表情，用文字形容的話大概就是懷疑對方腦被電線桿搥到了。

「啊不，不是……你你你……你……我……附近有藥局……」褚冥漾以為對方想揍他，仔細想想剛剛那句話，他也會想揍自己，明明想說的是傷口不好好處理會感染。「我去藥局買點藥……你你……等著……」

說完，他把手上的餐廳提袋往同學手裡用力一塞，驚恐地奔向路上看見的小藥局。

褚冥漾再次回來時人不抖了，同學也不在原地了，不過並不難找，四周環顧一下，立即看見人。

不遠處有座社區小公園，眞的滿小的，有個鞦韆架、小溜滑梯、沙坑，沒了。比較實用的是小公園地上的水龍頭，彩色少年正在那邊扭開水，兩腳輪流沖水，血水和髒污沖乾淨後，上面果然有一些跑路時割傷的傷口，還在冒血。

「你先穿這個。」褚冥漾買藥物時發現藥局竟然有賣簡單的室內拖，他沒多想就帶了一雙，然後在一邊的公園椅拿出買來的生理食鹽水、優碘、敷料什麼的，順手就朝關掉水龍頭的人招招手。

「這可以吃嗎？」彩色少年其實一開始就聞到餐廳提袋裡的陣陣香氣，所以跑路時才順手拎走，坐到椅子上把腳伸給對方後，眼睛還注視著袋子。

「可以可以，你先吃吧。」看到腳底傷口比想像中大，褚冥漾也忘記可能會捱揍的事情，很認眞地開始沖生理食鹽水，「你回去記得去診所檢查一下啊，我只會簡單的處理。」

「口移啦～」

褚冥漾聽到模糊的聲音，一抬頭，看見他同學滿嘴的炸雞腿，這傢伙根本一點痛感都沒有，血汩汩地流，雞腿喀喀喀地咬。他突然就想把棉花棒往傷口裡插了呢不知道爲什麼。

包完左腳換右腳，兩腳都弄好後，餐點也剩下不到一半了，他這同學的食量相當驚人，吃東西的速度也非常快，活像七天沒吃飯，吃飯要吃七天量。

看他吃得這麼快樂，褚冥漾也不好意思打斷對方，只好要他輪流把手伸出來，一併處理關節上一些揍人揍出來的傷口。不得不說這人很凶猛，一打八幾乎沒有什麼傷，大小瘀青不少，實質上的傷口卻不多，大部分都集中在拳頭上和腳底。

漫畫裡的不良少年都擁有金剛不壞之身看來是眞的，難怪有些人怎麼打都不會死！

耐心地邊等人吃完，邊收拾手上的藥物，褚冥漾打算等對方吃飽直接拱手告辭，逃回家睡一晚後把這些事當幻覺忘光，還有希望一一〇不要回撥他的手機，不然他就社死了……啊不，他會先被老媽打死。

「謝啦！」

飯後，彩色少年摸摸肚子，把餐盒摺疊好一個個放回袋子拿去回收桶。

「不謝，那我先走了。」褚冥漾看看手錶，有點欲哭無淚，這時間還不如先在餐廳吃一頓呢，回去會很晚，老媽肯定要逼問他去哪裡鬼混，然而正要轉身，領子被人拽住，往他脖子勒了一下。

「欸等等。」彩色少年往口袋摸摸，翻出從對手們手上挖出來的鈔票，往褚冥漾口袋塞，「修理費，大爺是覺得不如換支手機啦，等你換好再加大爺賴！大爺帶你暢遊整個武林，順便聯手打天下。」

「……？」褚冥漾感覺自己全身都是問號。

「患難眞兄弟，我們吃過拜把子的飯了，以後大爺罩你，想打誰就打誰！」彩色少年一把勾住年紀相仿同學的肩膀，順便看清楚對方身上的名牌。「同班的嘛，那大爺沒認錯，你就是坐在斜前面那傢伙。」

總覺得事態好像往一發不可收拾的方向奔去了，褚冥漾猛地回過神，驚悚地連忙擺手搖頭。「不不不，你誤會……」

「你不想和本大爺拜兄弟？」彩色少年瞇起眼，微微歪過腦袋，深夜路燈打在他的臉上，顯得詭異又具微妙的壓迫感。

「不不，只是……」

「那就這樣啦！」自我理解答案後，彩色少年直接把手邊剩下的盒子往前遞。「吃吧，拜把子的飯。」

褚冥漾看著餐盒，腦袋充滿亂七八糟的漩渦。

這就是傳說中的便當吧！

人生便當！

在同班同學期待的視線裡，他顫抖著雙手接過便當，緩緩地打開，嗯今天主廚做了一盒南瓜燉飯，雖然微溫，但還是有香氣。

說不定就是人生最後一餐了之類的。

「快吃啊。」彩色少年還把餐具遞過來。

硬著頭皮捧著便當，褚冥漾知道跑路是跑不掉了，鬼知道現在跑掉去學校還會遇到什麼事，只能在對方的目光下含著血淚一口一口把燉飯往嘴巴裡面塞。即使這種時候，主廚的飯還是很好吃，料還是很多，員工餐一如往常奢華，果然選擇這餐廳打工是對的，吃食福利太好了，感謝那些辭職的人。

「你是員工喔？」

「噗！」

差點眞的被便當嗆死，褚冥漾抬頭看見同學正在翻看明細小白單，上面清楚打印著員工用的字樣。

「呃、啊，我放學在這裡打工。」把嘴裡的東西努力吞下，他反射性解釋了打工的事情。

「你如果要來吃的話我這裡有折價券。」他被米可蕥塞了一大把折價券，餐廳其實並不缺客人，所以少女說這是要給親朋好友的優惠，沒道理一堆奧客都可以拿折價券來指揮他們這些服務人員而自家人不行，與其給混蛋們佔便宜不如給親朋好友佔便宜。

當然如果親朋好友裡面也有混蛋王八蛋的，剛好直接記黑名單以後不要往來，省得哪天被背刺，吃飯兼人心測驗多棒。

褚冥漾雖然聽不懂但他覺得好像很有道理，不過他沒有什麼好友，只好把單子都交給老媽處理，身上只有這兩天又被塞的幾張。

「喔~這是邀請大爺去吃飯嗎？」舉著折價券看了一會兒，彩色少年咧開笑容，「行！本大爺會去關照好兄弟的地盤！」

「呃，謝謝。」褚冥漾想想，大概就是跑來吃飯吧，也還好。不過今晚接觸過後，他突然發現這同學好像沒有想像地那麼不良少年，雖然一對八把敵方揍得很慘，不過看樣子應該是被堵的正常反擊——這世界上應該很少有人想不開會去一堵八，除了萊恩。八打一那麼陰險他還硬槓，顯然也是條漢子。

這時他還以爲只是同班同學單純要來吃飯，所以不知道所謂的「關照」還有另外一種意思，等到未來某一天餐廳周圍的道路被滿滿的黑頭車堵住時，他才體驗到人生的胃潰瘍不是不到，只是晚到這個真理。

當然，現在的褚冥漾還不知道這未來慘案。

他目前的慘案在於吃飽之後，同學終於沒繼續纏著他、放他回家，然後彩色少年踢著新拖鞋、唱著歌跑了，他才安心地往返家的路走。

接著這微妙的心情在家門口看見警車與老媽投過來的眼神時，徹底變成吾命休矣。

剛剛的果然是人生便當吧！

一一〇找到他家來了啊啊啊啊啊啊啊！

10. 兄弟一生一起走

西瑞．羅耶伊亞，十六歲，原校直升學生。

只要是同校學生，提到這個人沒有一句好評，幾乎是滿滿的惡評與莫名的一言難盡，不過在提到他同校畢業的哥哥們後，那評價又拐了一個圈，進入了詭異又奇妙的境界。

「漾漾！聽說你昨晚被警察抓走了啊？」

大清早，褚冥漾一口豆漿差點噴出來，匆匆進入教室的米可蕥撲過來抓住他的雙手，憂心地說：「為什麼不把留下案底的機會用在我們這邊呢？」

——妳知道妳在說什麼嗎？

褚冥漾看著美少女，腦中只有這個吶喊。

旁邊的萊恩依然埋首啃他的巨大飯糰配米漿，似乎對於留案底這事沒啥意見，又或者他個人就是個凶殘的教官，所以沒太多新奇感。

「他沒有留案底，好像只是路上被堵了。」千冬歲慢條斯理地攪拌豆漿，把昨晚下屬們打聽到的事情說出來：「被那個鮮艷的不良少年捲入事件，警察來問兩句話就走了。」

「對對對，只是來問兩句話。」褚冥漾當然不會說一一〇離開後，關上門遭到老媽的鍋鏟。因爲他當時報案後手機就被砸了，一一〇發現了一地垂死掙扎的人，核對過後沒發現報案者，循著手機號碼找上他家，幸好在詢問老媽前他就到家了，最後搪塞地說因爲被追很遠，手機壞了沒辦法和家裡聯絡，但他有甩掉後面的人才晚回家，對於後續的事情一概不知。

等警察先生們離開後，就被老媽揍得什麼內情都吐出來。

聽到是同班同學時，老媽微皺眉，也沒說什麼，只要他下次小心點躲好報警，不要被發現云云。

當然他自己下次肯定會有多遠躲多遠。

吃飽飯後開始早自習，全班陷入一片寧靜，個別幾人立起課本開始瞌睡，除了外面偶爾會經過的巡堂老師，整個世界進入祥和狀態。

於是這時候發生的巨大聲響及門框震盪就特別明顯，連別的班級都探頭看是什麼狀況。

褚冥漾在看見那頭彩色腦袋時心中警鈴大作，他甚至來不及抄起課本把自己擋住。

「呦～漾～早啊。」西瑞抬起手，很自然地朝同學揮手，然後筆直走到褚冥漾後方的座位，冰冷的眼神目送抱著書包連滾帶爬逃逸的傢伙讓出位子，他才把背包往桌上一丟，理直氣壯地在新座位坐下。

什麼是社死，這就是社死。

看著大量投來的視線，褚冥漾在心中爲自己點了根蠟，隨即就被後方的新鄰居拉住後領，被向後扯過去。

「有吃的嗎？」

甚至還被勒索早餐！

飯糰是不能給的，不過後面的傢伙沒有鬆手的打算，他只能頭皮發麻地翻出一包營養口糧往後遞。

西瑞倒也沒挑，打開包裝就咬起來，咬斷餅乾的聲音在死寂的教室裡特別明顯。

「請不要騷擾冥漾自習好嗎。」千冬歲第一個發出聲音，推了推眼鏡後看著坐沒坐相的不良少年，絲毫不畏懼地槓上去。

「大爺和小弟說話干你屁事。」西瑞挑起眉，很挑釁地噴回去。

爲什麼又變小弟了？

身在暴風中心、兩車相撞的分隔島，褚冥漾一陣胃痛，兩邊投射針鋒相對的視線，他是夾心餅乾中間的內餡，而且還因爲研發不力，內餡平凡普通得受到眾多消費者唾棄。

「一個細菌繁殖的腦子在胡說八道什麼，果然是因爲菌絲入侵所以腦袋壞了吧。」千冬歲發出很苛薄的對峙話語，沒打算示弱。

「一個四眼田雞的小白臉在那邊唧唧叫什麼，果然是因爲太小白臉了所以只會唧唧叫吧。」西瑞喀地一下咬斷營養口糧，陰陽怪氣回去。

「誰是小白臉還不知道呢。」

「有種來幹一場啊！」

「誰怕誰！」

褚冥漾心中大哀號，下意識想尋求班長勸架，班長……班長舉著手機在錄影，臉上表情根本是快打快打。

令人絕望。

千冬歲捲好袖子，直接和西瑞互抓領子就要對揍上去。

「別打架！」被夾在中間的褚冥漾不得不抬高雙手，悲哀地成爲中央那個被迫上台的勸架人，內心眼淚流不停，兩邊的拳頭則是在他把雙方推開時軌道歪了，直接朝他頭的方向招呼過來。

「住手。」不知道什麼時候站出來的萊恩一左一右抓住兩人的手腕，避免了褚冥漾一大早被打成腦震盪的結局。

終結這場紛爭的是外面訓導主任的聲音。

「打架的四個人，通通出來！」

人生社死。

╳

有班長的錄影證明，褚冥漾與萊恩同爲勸架，很快就被主任放生。

西瑞與千冬歲則是罰站一節課，還接受了主任的訓話。

不過在回到教室後整個班上的討論風向已經變成「千冬歲和西瑞爭風吃醋，兩個人爲了褚冥漾發起了一場頂峰對決，看不下去的萊恩出手英雄救美，最後所有人從容就義」，完美地形成了一個風暴四角循環，謠言還往左右兩個班級擴散，一時之間成爲上午的熱門話題，下課時還冒出很多人假裝路過，想看看這傳說中的大四角。

褚冥漾抱著腦袋深深思考，是不是開學時進校門的姿勢不對，這才造成他的業力發作，把他和平的人生軌跡給炸了，呈現一片血肉模糊的狀態？

「安啦！這樣表示你很搶手，我們完全可以操縱輿論來壯大我們的學長教！吸收成員加入學長後援會！」米可蕥興奮地表示。

——妳知道妳在說什麼嗎？

褚冥漾決定無視這落井下石的結論。

人生至此，全屬上輩子造孽未償，這輩子才遭暴擊。

打開班級群組時，絕望地發現班長還把錄影放上去了，下面橫批——鬧事的同學會記在本子上，每天會總結一份連同證據交給班導，第二次鬧事就打包發給家長，不想發家長的可折合勞動服務，視情節一次三至五天，諸君自重，勿毀班級評鑑。

人證物證俱在還附帶威脅，班長有往警界發展的潛能。

話說這不是風紀的事嗎！

兩個罰站的人被丟回來，雖然下課時還是會對刺幾句，不過倒沒有繼續動手，中午西瑞自己跑不見了，米可蕥揪著幾個人一起吃她的特製大餐盒。

褚冥漾有點戰戰兢兢地看著千冬歲，雖然很怪，不過他剛交朋友，不想失去對方。

「朋友怎麼交你自己心裡有數就好，我不喜歡他不代表我要干涉你的交友，如果真的感覺被纏上很不舒服，我們可以幫你處理。」千冬歲沒有說什麼責怪的話，只是指指自己和萊恩。

「我們不怕他，不用擔心。」

差點就把好人卡發給對方，褚冥漾一臉感動地連連道謝，然後開開心心地度過午餐時間。

下午上課前西瑞回來了，還帶著一包鹹酥雞塞給褚冥漾就開始趴在桌上呼呼大睡，完全沒有打算好好上課。可能他這種行徑很出名，以至於居然沒有一個老師把他叫醒，任由他在那邊睡大覺。

後來褚冥漾自己總結，十之八九是怕他醒來破壞課堂秩序，不如放給他去，只要人乖乖固定在那個位子上就好。

放學前的打掃，這傢伙早早溜得沒影，只給他一句：「大爺去闖蕩江湖！」褚冥漾整個無言，只能順便把他負責的區域掃一掃，幸好就在旁邊，也就多兩分鐘的事，總比衛生股長虎視眈眈一臉想來問他西瑞下落而無法解釋得好。

拋棄了可憐巴巴的萊恩，剩餘的三人放學後結伴去餐廳打工。

褚冥漾沒想到原來上午的夢還沒結束，門一推開就看見美人臉學長在和其他人聊天，庚一回頭看見他們就詫異地開口：「唉呀，所以你們早上搶男人的後續是千冬歲搶贏了嗎？」

「……？」整個就是超級大問號。

「早自習的事傳到二年級了，說一年級有人在爭風吃醋，後來相約放學後在後門單挑。」

學長補充了句：「打這麼快？」

「……沒有單挑，沒有爭風吃醋。」褚冥漾面對越來越扭曲的謠言，不知如何澄清，徹底體驗了一把「三人成虎、三百人飛龍在天」的感受。

這學校是吃飽太閒專門謠言進化的嗎！

搗著瑟瑟發抖的胃，他悲慟地去休息室換員工制服，結果一出來就聽到米可蕥向希克斯解釋搶男人的問題，還問廚房們要不要加入後援會，現在加入大家就是一家人之類的拉客話術。

解釋不了，世界毀滅吧。

特別是看見夏碎也傳了訊息問他順利成爲被搶奪人的感想後，褚冥漾就覺得這世界的人都怪怪的，一定是入學的日子不好，學校看農民曆挑的時間一定是百年來最強烈的水逆之日，造就了烏煙瘴氣與分散到學生們身上的業障後遺症。

幸好晚上的客人們比較正常，忽略幾個被庚和學長處理的奧客，與白天的學校相比，簡直如同天堂。

而且這天晚上又新認識一名夜班外場，雖然皮膚略黑，性格比較高冷，不過褚冥漾在找不到奴勒麗問問題時，跑去問在附近的對方，青年也條理清楚地好好回答了他，他就覺得這人應該是外冷內熱的悶騷。後來順著話聊了幾句才發現居然還是住附近的鄰居，租屋研究生，來打工是要體驗外面的世界。

下班時，這位外場還給了他一份點心，他整個感覺對方的內在絕對是個大好人。

可惜下班時間不一樣，沒辦法一起搭車回家，否則遇到巷內一對八的狀況時，他應該就不會那麼抖了。

喔對了，因爲一對八的事，老媽大概覺得他會被報復，走在路上有機率被拉去痛毆之類的，今天還特地囑咐他下班先在這裡等，老媽會過來載他回家。

其實他是覺得應該不至於，昨晚那批人搞不好都把如此平凡普通的他忘了，畢竟他就是個路人，頂多順手打個一一〇，深藏功與名。

但老媽的警告與憂心讓他還是乖乖地在店內等，順便揮別有事先離開的米可蕥與千冬歲。

「等等請阿姨一起吃點東西吧。」美人臉學長在桌面上放了剛出爐的蘋果派與主廚特調，晚餐時間過後人潮漸少，幾名店員也各自輪流小歇。

「謝謝學長。」褚冥漾同樣想到這點，老媽來的時候乾脆吃個餐點點心什麼的，帶回家的餐盒哪有現做的美味。喜孜孜地咬著蘋果派時，視線剛好落在學長手邊的幾張列印紙上。

「等等有新人來面試，應該差不多要來了。」學長看了看時間，「搞不好你也認識，中午投來的履歷，算是個網路名人。」

「啊？」認識？網路名人？

不知道是不是心理錯覺，褚冥漾總覺得這位美麗的學長眼裡隱約出現某種看好戲的神情。呆滯的同時，餐廳門被推開，心理錯覺變成心理錯愕，手上的蘋果派啪答一聲掉回盤裡。

「嗨！漾～大爺就知道會遇到你！」彩色腦袋的同班同學比出了一個射擊手勢。

褚冥漾整個連人帶腦石化，耳邊傳來學長悅耳但好像在說著異世界鬼話的聲音：「你這位同學是網路吃播主播，吃法和食量過於魔性，擁有七十三萬追蹤訂閱人數。」

被這麼一講，他想起對方昨晚把一整袋餐盒吃光光的事，那吃相確實是少有地爽快，他差點被人打的恐懼有三分之一是在那餐期間消失的。

西瑞這時還記得他是來求職，用手拉開椅子後規矩坐下，「那是老四他們搞出來的東西，不用管。大爺是來找小弟，拜了把子、吃過把子飯，兄弟一生一起走，有錢一起賺、有人一起砍、有工一起打，漾在哪裡本大爺就在哪裡。」

「欸不不不……」褚冥漾猛然回過神，千萬分不理解爲什麼事情會變成這樣，果然是開學的日子沒選好，學生集體水逆了吧。

美人臉學長抬起手，制止旁邊工讀生的手足無措。「姑且先聽聽，你的待遇要求？」

「大爺不缺錢，薪水全折成餐費，不小心把客人打成殘廢我十倍給醫療費，一人做事一人擔，出事大爺會喬好絕不牽連餐廳。」

「可以，成交，明天來實習。」

「爽快！」

五秒後，褚冥漾精神九級大地震。

可以個屁！

什麼鬼求職條件！

你們想過客人的人身安全嗎！

然而他面前的兩人已開始在那幾張紙上寫寫簽簽了，彩色腦袋的少年甚至把爪子蓋上去，如此一來就成為實習工讀生，明日進入試用階段。

褚冥漾摀著臉。

世界還是毀滅吧。

比較安全。

《晝夜循環》未完待續

○晝夜循環小劇場○

腳本／護玄
繪／紅麟

後續

路邊突然出現的免費兒子

寂寞

訓練室

教官今天打人好痛×
吃壞肚子嗎？
沒買到飯糰嗎？
該不會和女朋友分手吧？

你們快點聯署罷免我，就不用被揍了！
不要威脅學員！

不讓我辭職就繼續揍

謠言

西瑞和千冬歲的紛爭引起了各種不實謠言。

我聽說那個褚冥漾是絕世大美女。
不不不，聽說是被假少爺換走的真少爺！
我聽說是繼承三千億的候選人！
其實是女扮男裝的大胸御姊！
C
B
A
你們都錯了！
最新版本說的是他十年前被仇家追殺，跳崖之後沒死，在海底發現了一艘沉沒兩千年的海盜船，海盜船上有滿滿的黃金，沒想到碰到黃金後被詛咒成薔薇國的公主，繼承龐大的龍穴寶石……

後來只有學弟可以開啟通往寶石的大門……
別玩了。

謠言往往始於親朋好友的背刺

謠言2

莫名擴大的謠言造成好幾天被圍觀。
……
就是他吧
是他是他
褚同學等等！

那個……
……

難道這是傳說中的告白嗎!?
可以請問……

請問大家說你是學長私生女的事情是真的還是假的！
……

很想知道這些人腦子是不是有毒

傳聞

比較熟之後嘗試問了黑暗傳聞。
所以是真的嗎？
會開槍慶祝什麼的……
大爺家才不會隨便開槍。
哪來的鬼傳言？
慶祝還不如放九十九發煙火

原來不會啊……
而且開槍不好玩……
等等所以還是有開嗎！！！

還不如把人都送去住海景第一排。
住手!!!
超有趣的！

術業有專攻，請勿嘗試學習

吃播

啊，果然有。
你在看什麼啊？

聽說西瑞是吃播主。不過好像是純吃，只用字幕介紹。
啊，這個喵喵知道。

好像是從小就很會吃，幼稚園時還差點把全班的飯菜吃光。
小朋友和老師都嚇傻了

他哥哥覺得不能只有他們看見，放到網路上就紅了。
經營頻道和打字幕的是哥哥喔！還賺了滿滿的餐費～
?!?!

從胃開始的第一桶金

TO BE CONTINUED ★

DAY ∞ NIGHT
晝夜循環 05

作者／護玄
插畫／紅麟
出版社／蓋亞文化有限公司
地址◎ 台北市103承德路二段75巷35號1樓
電話◎（02）25585438　傳真◎（02）25585439
部落格◎ gaeabooks.pixnet.net/blog
臉書◎ www.facebook.com/Gaeabooks
電子信箱◎ gaea@gaeabooks.com.tw
郵撥帳號◎ 19769541　戶名：蓋亞文化有限公司
法律顧問／宇達經貿法律事務所
出版／2022年06月
Printed in Taiwan

Gaea

Gaea